# ZAC el ZORRILLO
## aprende a pedir perdón

*Punk the Skunk
Learns to Say Sorry*
(Spanish Edition)

Escrito por
Misty Black

Traducido por
Natalia Sepúlveda

Ilustrado por
Ana Rankovic

**Berry Patch Press** LLC
www.MistyBlackAuthor.com

A Zac el Zorrillo le gustaba burlarse de otros.

Usualmente, sus burlas eran inocentes.

**Pero un día, sus bromas fueron demasiado lejos.**

**Todo comenzó a la hora del recreo.**
**Mientras estaban saltando la cuerda, Zac . . .**

. . . agarró la cuerda y salió corriendo.

Sus mejores amigos,
Carlos el Conejito y
Pedro el Puercoespín,
se unieron a él, riéndose.

Zac quería hacer reír a sus amigos una vez más.
Durante un examen, Zac sopló bolitas de papel hacia la
cabeza de Andrés la Ardilla.

Él no se detuvo allí.

A la hora del almuerzo, Zac hizo tropezar a Guillermo el Gatito, quien aterrizó en su comida.

En el auto, de camino a casa Zac quería
reírse otra vez.

Calladitamente dejó salir su súper apestoso gas y se rió . . .

Pero esta vez, sus amigos no se
estaban riendo con él.

– ¡Baja la ventana!  –dijo Pedro
ahogándose.

– ¡No puedo, está atascada! –dijo
Carlos sin poder respirar.

– ¡Agáchense chicos! –gritó Pedro.
Sus púas se dispararon dentro
del auto como pequeñas
flechas calientes.

Los amigos de Zac lo miraron con sus ojos llorosos.
—Vamos chicos. Era solo una broma —dijo Zac.

El próximo día, a la hora del recreo, nadie quería jugar con Zac.

En clase, nadie se sentó a su lado.

Nadie quiso almorzar con él.

Sus amigos tampoco ofrecieron llevarlo a casa.

—¿Por qué están así? Solo estaba bromeando —gritó Zac mientras ellos se fueron en el auto sin él.

Zac tuvo mucho tiempo para pensar en su caminata a casa.

<< ¿Por qué están todos enojados conmigo? Tienen que aprender a bromear>>, pensó Zac.

El pisoteaba al ritmo de sus pensamientos de enojo.

Zac cargaba un gran peso en sus hombros y no podía ver a través de sus lágrimas.

Entonces . . .

Guillermo ayudó a Tomás la Tortuga a enderezarse y después caminó hacia Zac.

—Aunque últimamente te has portado un poco acosador, sé lo que se siente cuando te tropiezas y te caes. Vamos, déjame ayudarte a levantar —dijo Guillermo.

—¿Acosador? Nunca quería lastimar a nadie. ¿Fui demasiado lejos? —preguntó Zac. Nunca se había considerado un acosador.

<< Tal vez mis bromas no eran muy graciosas. ¿Qué puedo hacer para que se mejoren las cosas?

Oh, tengo una idea>>, pensó Zac.

El próximo día en la escuela, Zac le regresó la cuerda de saltar a las niñas y le dio a Andrés su bolsa de bellotas asadas—su favorita.

—Perdóname por hacerte tropezar y gracias por enseñarme como ser un buen amigo —le dijo Zac a Guillermo ofreciéndole su almuerzo.

Después de eso, le dio unos pétalos de rosa a Carlos y a Pedro y también repartió unas notas de disculpas a todos los que había lastimado.

Perdona que te rocié. No lo volveré hacer...a propósito. Pero en caso de que pase otra vez, usen estos pétalos de rosa para protección. Espero que podamos ser amigos de nuevo.

Zac

Cuando todos levantaron la vista después de leer sus notas, ellos vieron . . .

A Zac . . . con los pétalos de rosa en su nariz.

Cuando sus amigos comenzaron a reírse, Zac supo que lo habían perdonado. ¡Fue el mejor sentimiento del mundo!

# ¿Qué puedes hacer para detener el acoso?

Haley Hamblin, una consejera escolar en Lakeside Elementary, recomienda que sigas estos pasos:

1. **DECIR ¡PARA! En una voz fuerte** para ayudar al acosador a entender que no te gusta lo que está sucediendo.

2. **DECIRLE** a un adulto de confianza lo que está ocurriendo.

3. **ALEJARTE,** si el decir "PARA" no funciona. El responder peleando puede hacer que las cosas se empeoren.

4. **MIRAR a ver si el acosador necesita un amigo.** A veces los acosadores se sienten tristes y solos y quieren llamar la atención.

5. **TRATAR** de invitarlo a jugar a ver qué ocurre.

**Trata a todos con amabilidad y respeto. Detente y piensa antes de decir o hacer algo que pueda lastimar a alguien.**

# Escribe lo que puedes hacer para detener el acoso.

# Sobre la autora:

Misty Black es una madre de tres niños maravillosos, cada uno con sus propias habilidades y retos. A través de los años, ella ha trabajado con un número de consejeros para aprender a ser una mejor madre y poder ayudar a sus hijos con sus dificultades.

Ella cree que una de las cosas más importantes que los niños pueden hacer es el aprender a desarrollar sus habilidades sociales. Su pasión de compartir lo que ha aprendido la llevó a escribir una serie de libros infantiles sobre las habilidades sociales. Su meta es enseñarle estas estrategias a los niños de una manera divertida para que se enfoquen.

## Nota de la autora:

"Me encanta saber de mis lectores. Por favor considera enviarme un correo electrónico o dejar una reseña honesta. Aprecio mucho su apoyo".

Sigue a Misty 🇫 📷 📌 @mistyblackauthor

Para recibir promociones, visiten a mistyblackauthor.com.

Para descuentos y ordenes por mayor envía un correo electrónico a mistyblackauthor@gmail.com.

# www.MistyBlackAuthor.com

ZAC el ZORRILLO aprende a pedir perdón

¿Puede PEDRO el PUERCOESPÍN controlar su MAL GENIO?

¿ÓSCAR el OSO aprenderá a ser agradecido?

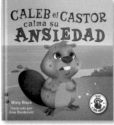

CALEB el CASTOR calma su ANSIEDAD

A PACO el PEREZOSO le encanta ser DIFERENTE

¿Guillermo el Gato se dará por vencido?

PUNK the SKUNK Learns to Say Sorry

Can QUILLIAM Learn to Control His TEMPER?

Can GRUNT the GRIZZLY Learn to Be Grateful?

BRAVE the BEAVER Has the WORRY WARTS

SLOAN the SLOTH Loves Being DIFFERENT

Can Clutz the Cat Keep Trying?

AMOR de abuelita

Cuando te sientas mejor

Me enseñaste a querer

Bubble Head. It's Time for Bed!

Bubble Head. HO! HO! HO! Merry CLEAN CHRISTMAS!

Bubble Head, BOO! Happy CLEAN HALLOWEEN!!

Grandmas Are for Love

When you feel Better

You Taught Me Love

Burbujita, es hora de dormir

Burbujita, HO! HO! HO! Un libro NAVIDEÑO

The Best Way To Travel

UNICORNS, MAGIC, AND SLIME, OH MY!

My MOM the FAIRY

UNICORNIOS y LIMO

Mi MAMÁ el HADA

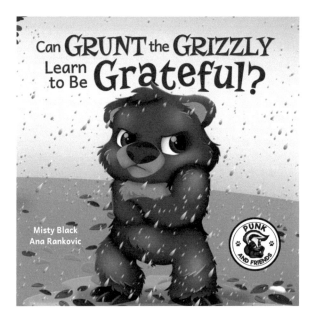

# ¿Por qué ÓSCAR el OSO PARDO está tan gruñón?

¡Descúbrelo en esta historia especial de gratitud!

*Punk the Skunk Learns to Say Sorry* (Spanish Edition)

*Zac el Zorrillo aprende a pedir perdón*
*Zac e sus amigos*
Copyright © 2021 Berry Batch Press, LLC.

Escrito por Misty Black
Ilustrado por Ana Rankovic
Traducido por Natalia Sepúlveda

ISBN Tapa rústica: 978-1-951292-38-6
ISBN Tapa dura: 978-1-951292-45-4
ISBN Audiolibro: 978-1-951292-62-1


Library of Congress Control Number: 2021930109
(Número de control de la Biblioteca del Congreso)

www.MistyBlackAuthor.com
Primera Edición 2021
Publicado por Berry Patch Press, LLC. Clearfield, Utah.

Made in United States
Troutdale, OR
07/14/2023

11255043R00021